Alain Surget

LONG NA DTAIBHSÍ

LEABHAR
BREAC

Caibidil I

Saol an Mhairnéalaigh

Thart ar 1660, in iarthar an Aigéin Atlantaigh, céad míle amach ó na Bahámaí.

Faoi lánseol, bhí *Ordóg na Feirge* ag gearradh tríd an bhfarraige siar i dtreo an Domhain Nua, áit, a deirtear, go bhfuil an ghrian fós ag scalladh ar chathracha óir.

'Is anseo atáimid,' a dúirt Tá-agus-Níl, máta na loinge. 'Agus is anseo atá ár dtriall.'

Lena mhéar, thaispeáin sé oileán ar an léarscáil. Suite lena thaobh, sa chábán, agus a dhá uillinn leagtha anuas ar an mbord aige, thug Benjamin súil ghéar agus cluas aireach don cheacht. Bhí an máta — fear ar tugadh Tá-agus-Níl mar leasainm air mar nach dtabharfadh sé freagra cinnte ar aon cheist riamh — ag múineadh dó cén chaoi le léarscáil a léamh.

'Sin í an Easpáinneoil,' a dúirt Benjamin. 'An t-oileán beag sin ó thuaidh, sin é Oileán na Toirtíse, agus é sin, ó dheas, sin é Oileán na Bó.'

'Tá sé ar fad ar eolas agat, a mhalraigh,' a dúirt Tá-agus-Níl le Benjamin, agus iontas air. 'Níor casadh riamh duine orm a d'fhoghlaimeodh a chuid ceachtanna chomh sciobtha leat.'

'Tá an-tóir agam ar na leabhair. Ní hionann is mo dheirfiúr — tá sí sin níos aeraí ná mé agus is fearr léi a bheith ag troid is ag achrann…. Oileán na Bó, sin é poll folaigh mo Dheaide,' a d'fhógair Benjamin go sásta.

'B'fhéidir gurb é,' a dúirt an máta. 'Ar aon nós, is ann atáimid ag dul.'

'Cén chaoi a mbeidh a fhios againn go bhfuilimid ag dul sa treo ceart?'

'A bhuíochas sin don chompás. Tá ceann ag an bpíolóta faoina shúil agus úsáideann sé é sin leis an long a choinneáil ar a cúrsa. Gabhfaimid in airde ar an deic dheiridh,' a mhol sé. 'Cuirfimid i mbun na stiúrach thú agus beidh ort cúrsa a choinneáil dúinn.'

Tháinig siad amach as an gcábán. Bhí an fharraige ina calm, ach ní raibh an spéir chomh gorm is a bhí an mhaidin sin. Bhí smúit tagtha ar an lá, agus bhí ceo éadrom ar an bhfarraige a cheil íor na spéire orthu.

Bhí buíon den chriú ar an droichead ag scrúdú airnéis na ngunnaí móra agus teannas na scriútaí. Bhí foghlaithe mara eile suite ar chairn rópaí ag ligean a scíthe.

Dhreap Benjamin agus Tá-agus-Níl in airde ar an deic dheiridh. Is ann a bhí Louise Bheag, leath-chúpla Bhenjamin. In áit a sciorta, bhí bríste fir uirthi, agus í i gcomhrac claimhte leis an Marquis Roger de Parabas, captaen na loinge.

'Tuirseoidh tú tú féin ag léimneach thart timpeall orm mar sin, agus do dhá láimh ag casadh ar nós

seolta muilinn gaoithe! Bí níos solúbtha,' a mhol
Parabas. 'Coinnigh siar do chos chlé, lúb an chos
dheas, seachain mo chlaíomh…. Agus brúigh chun
cinn.'

Dhoirt an lann mhiotail i dtreo chliabhrach an
Mharquis, ach bhuail seisean de leataobh í — tsing
— le casadh beag dá dhornchla. D'eitil claíomh
Louise Bheag tríd an aer agus thit faoi chosa na
beirte a bhí ag teacht chomh fada leo.

'Mairrrnéalach gan chlaíomh!' a bhéic guth géar
Dhún-do-Ghob, an phearóid liath a bhí suite sa
rigín os a gcionn. 'Caith i bhfarrraige í!'

Chuir an cailín beag a teanga amach faoi, ansin
phioc sí suas a claíomh. Ghéill an píolóta a áit do
Bhenjamin agus rug an buachaill go bródúil ar an
roth stiúrach. Agus a dhá shúil greamaithe aige ar
an gcompás ar an seastán amach roimhe, chuala sé
na claimhte ag feadaíl arís.

'Go maith! Sin é do dhóthain don lá inniu,' a
d'fhógair Parabas tar éis scaithimh. 'Tá sé in am
agat féin agus ag do dheartháir cúraimí an chriú a
fhoghlaim. Tabharfaidh an maor loinge buicéad

agus dhá scuab daoibh, agus féadfaidh sibh an droichead a sciúradh.'

Bhí alltacht ar Louise Bheag. 'Muid a chur ag lámhacán ar an deic ar nós madraí!'

'Is muidne clann an Chaptaein Roc,' a d'fhógair a deartháir go bródúil, 'duine de na foghlaithe mara is cáiliúla i Muir Chairib! Ní bheimid cromtha os cionn na deice ar nós dhá…'

Ghlaoigh Parabas ar an máistir foirne agus d'iarr sé ábhar glantacháin do na hógánaigh. Ach ní túisce na scuabanna tugtha ag an maor dóibh ná chaith Louise Bheag i bhfarraige iad.

'Anois,' a deir sí go dána, 'cén chaoi a nífidh tú do long!'

Taobh istigh de dhá nóiméad bhí Louise Bheag agus Benjamin ar a nglúine ag fliuchadh a gcuid léinte sa bhuicéad, agus na mairnéalaigh i bhfáinne timpeall orthu ag gáire.

'A leithéid de mhuineál,' a bhéic Dún-do-Ghob. 'Cuirrr teannadh leis! Táim ag iarrraidh mo ghob a fheiceáil sa deic! Dar crrraiceann an diabhail!'

Caibidil II

Airm faoi Réir!

Go sciobtha, rinneadh braillín den spéir. D'éirigh an ceo chomh trom go ndearna sí fál os cionn na farraige, múr scamallach a shlog *Ordóg na Feirge* agus a bháigh na seolta agus an rigín faoi bhraonta beaga uisce. D'imigh na fir de rith ag crochadh laindéar ar bhall tosaigh agus ar phost deiridh na loinge, chomh maith leis na taobhanna, agus barra na gcrann.

'An bheirt agaibhse!' a bhéic an maor ar Bhenjamin agus Louise Bheag. 'Leagaigí uaibh an buicéad, caithigí oraibh go sciobtha, agus tugaigí buabhall in airde ar an gcrann libh. Gabhaigí ag séideadh ar an mbuabhall ansin go gcuirfidh sibh bhur scamhóga amach! Ní dhéanfadh sé aon mhaith dá dtiocfadh bád amach as an salachar sin sa mhullach orainn.'

Shín sé buabhall an duine don bheirt. Nuair a bhí

léine ghlan orthu, dhreap siad in airde sna scrúútaí
go dtí poll an chladhaire, an chrannóg fhaire thuas
os cionn na seolta.

'Airím go bhfuilim ar foluain sna scamaill,' a deir
Benjamin. 'Níl aon fheiceáil agam ar an bhfarraige,
agus is ar éigean atáim in ann an ghrian a dhéan-
amh amach sa spás bán sin thuas.'

Chuir an bheirt a gcuid uirlisí lena mbéal agus
bhain dordán fada caointeach astu. Shéid siad thar
bhord na heangaí, ansin thar bhord na sceathraí*,
agus ansin shéid siad amach chun tosaigh chun an
cúrsa a ghlanadh amach roimh an long.

'Dúiseoimid Neiptiún lenár…'

Ghreamaigh na focail ina phíobán agus Benjamin
ag stánadh amach roimhe. An ag rámhaille a bhí
sé? Dhá chrann gan seol a bhí ag gobadh aníos as
an gceo ar bhord na heangaí. Sin a raibh le feiceáil:
dhá chrann dhubha mar a bheadh dhá chros ann.
Bhí siad chomh gar sin dó go gceapfá gur chuid
d'*Ordóg na Feirge* a bhí iontu.

'A Louise Bheag! Ansin … breathnaigh,' a dúirt
sé go stadach agus a lámh á síneadh amach aige.

---

* Bord na heangaí: ar dheis; bord na sceathraí: ar clé.

Shéid a dheirfiúr ar an mbuabhall arís, a droim iom-paithe aici leis, agus gan tada tugtha faoi deara aici.

Ardaíodh glórtha ar an droichead. Ansin béic-eanna faitís. Bhí an chontúirt feicthe ag na fir.

'Gach duine ar bhord na sceathraí!' a bhéic Parabas.

Thug an píolóta casadh tobann don roth agus

cuireadh thart an long chomh sciobtha sin gur bheag nár fhág sí a cuid seolta ina diaidh. Bhí sé de chiall ag an mbeirt greim daingean a choinneáil ar na láinnéir le faitíos go gcaithfí den chrannóg iad.

'A dhiabhail!' a bhéic an bheirt agus an long á leagan anuas ar a leataobh.

D'éirigh cruth dorcha os a gcionn. Bhuail gob na

loinge strainséartha faoi *Ordóg na Feirge*. Caitheadh an bheirt as an gcrannóg amach san aer. Shín siad amach a lámha agus thit siad anuas sa rigín arís agus ghreamaigh siad féin sna láinnéir. Scríob an dá chabhail loinge faoi chéile, ansin druideadh ó chéile arís iad. Rinne *Ordóg na Feirge* rince beag sa chuaifeach a d'éirigh as an tuairteáil agus leáigh an long strainséartha sa cheo.

'Sin í *An Dúitseach Reatha*,' a d'fhógair an maor. 'Aithním í as a dealbh thosaigh.'

An Dúitseach Reatha! An soitheach taibhsiúil a bhí de shíor ag treabhadh na farraige! Bhain an t-ainm féin creathadh as an gcriú.

'Cuirimis farraige eadrainn go beo nó slogfar muid ina sruth!' a chomhairligh Tá-agus-Níl.

Nuair a bhí sé ar tí an t-ordú a thabhairt cúrsa a athrú, thug Parabas súil in airde ar an gcrannóg os cionn an chrainn mhóir agus lig béic as: 'Na malraigh! Cá bhfuil na malraigh? Ní fheicim ar an gcrann iad! Tá súil agam nach bhfuil siad tite i bhfarraige — nó níos measa fos, ar bord an *Dúitsigh Reatha*.'

'Arrr an *Dúitseach Rrreatha*?' arsa an phearóid, agus é á cheilt féin faoi hata mór Pharabas.

'Tar amach as sin thusa,' a dúirt an captaen leis. 'Tá gnó agam duit.'

Caibidil III

An Dúitseach
Reatha

Stop an soitheach den ghuagaíl ó thaobh go taobh. Seachnaíodh tubaiste idir an dá long, ar inn ar éigean, agus bhí sí anois ar ais ar a cúrsa.

'Dá dtitfimis i bhfarraige,' a dúirt an cailín, 'ní aimseofaí arís muid.'

'Bheimis brúite idir an dá chabhail, leata amach ar nós dhá phláta.'

Thosaigh an dá chrann go tobann ag creathadh, agus crochadh na seolta, ceann i ndiaidh a chéile, le torann gáire. Bhí dath na fola ar na seolta!

'Ach…' Bhí iontas ar Bhenjamin. 'Níl seolta dearga ar *Ordóg na Feirge*!'

'Bhí na seolta crochta cheana féin. Chaithfeadh sé go bhfuilimid ar an long eile!'

Tríd an gceo thíos fúthu chonaic siad cruthanna. Ní raibh cor astu.

'Is aisteach an long í agus gan aon duine ag corraí inti!'

'Chaithfeadh sé go bhfuil na mairnéalaigh in airde sna crainn — níor crochadh na seolta astu féin!'

Bhreathnaigh siad in airde. Bhí siad in ann cruthanna a dhéanamh amach sa rigín. Go tobann, d'éirigh ceann acu níos mó, agus é ag teacht anuas chucu ar rópa.

'Fainic!' a bhéic Benjamin. 'Tá mairnéalach ag titim díreach anuas orainn!'

Ní raibh ach dóthain ama acu le scaradh ó chéile nuair a thuirling an fear a bhí ag obair ar an seol anuas sa rigín.

'Chaithfeadh sé gur bualadh ar an gcloigeann é,' a dúirt Louise Bheag nuair a chonaic sí a lámha crochta faoi gan mhothú.

Bhain sí croitheadh as a ghualainn. Nuair a chorraigh sí é thit an hata den mhairnéalach. Nochtadh blaosc an fhir. Lig an cailín béic aisti. Lig Benjamin béic as agus ba bheag nár caitheadh siar i ndiaidh a chúil é.

'Creatlach atá ann.
Creatlach agus a chuid éadaigh air.'

Bhrúigh siad uathu é le buillí coise. Ceangailte dá rópa, d'eitil sé siar i ndiaidh a chúil. Ansin thosaigh sé ag casadh gar do na scriútaí. Agus a lámha is a gcosa ag creathadh, thosaigh an bheirt ag dreapadh anuas. Thuirling rud éigin ar ghualainn Bhenjamin. Ghreamaigh a bhéic ina scornach. Bhí sé ar tí a lámh a thógáil den rópa lena chaitheamh de nuair a rug a dheirfiúr greim láimhe air.

'Dún-do-Ghob atá ann.'

B'éigean do Louise Bheag é a rá faoi dhó sular éirigh léi a dearthair a chur ar a shuaimhneas. Leag Benjamin a bhaithis anuas ar runga an dréimire shúgáin agus lig sé osna as a bhí chomh mór sin gur fholmhaigh sé a chuid scamhóg.

Tá *Ordóg na Feirge* inár ndiaidh. Níl sé i gceist ag Parabas muid a fhágáil.'

'Tá an ceart agat. Murach sin ní bheadh an t-éan anseo.'

Tháinig Louise Bheag anuas ar an deic, a dearthair ina diaidh agus an phearóid ar a ghualainn aige. Bhuail faitíos Louise Bheag. 'Is fada an t-achar atá an corp sin thuas sa chrann. Meas tú cén fáth nár thug aon duine anuas é?'

'B'fhéidir gur pionós a gearradh air,' a dúirt an buachaill. 'Chaithfeadh sé go raibh sé ciontach as rud éigin uafásach le go gcaithfí mar sin leis.'

In ainm Neiptiúin!' a scairt Dún-do-Ghob, 'ní gáirrre ar bith cúrrrsaí smachta ar an long seo!'

Chomh luath is a bhain siad an droichead amach, rith siad i dtreo mairnéalaigh a bhí ina sheasamh in aghaidh na slaite boird.

'A dhuine uasail, táimid tar eis titim ó *Ordóg*…'

Tháinig Louise Bheag roimh a deartháir ionas nach luafadh sé ainm long na bhfoghlaithe mara. 'Ón *gCiaróg Phreabach*,' a dúirt sí á cheartú. 'Is í an tuairteáil idir an dá long a chaith anuas ar an long seo muid.'

'Níor fhreagair an mairnéalach. Bhí a dhroim iompaithe aige leo, é cromtha amach roimhe mar a bheadh sé ag grinniú na farraige.

'Tá sé bodhar,' a dúirt Benjamin. Rug sé ar a mhuinchille, á croitheadh. 'Hóra, a dhuine uasail!'

D'éirigh an long de bheagán ar bhord na heangaí. Dhírigh an fear aníos, chas ar a shála agus stán sé lena shúile folmha ar an mbuachaill. Mhothaigh Benjamin agus Louise Bheag an ghruaig ag éirí ar chúl a gcinn, agus an fhuil ag cuisliú ina bhféitheoga. Rinne an long luascadh eile agus d'fhill an creatlach ar a sheansuí, cromtha amach thar an tslat bhoird.

'Cá … cá bhfuilimid ar chor ar bith?' a dúirt an buachaill go stadach.

Dhírigh sé i dtreo gunnadóra a bhí cromtha

taobh le gunna mór. 'Mála cnámh é sin freisin,' a d'fhógair sé agus é á dhoirteadh amach ar an deic.

'Agus é sin chomh maith,' a deir Louise Bheag, agus í ag breathnú ar chonablach eile gléasta i mbríste stróicthe agus é suite ar charn rópaí, a dhá uillinn ar a ghlúine agus píopa ina láimh aige.

'Céard a thit amach anseo?' a d'fhiafraigh an gasúr go faiteach. 'Ar cailleadh iad ar fad de ghalar éigin? D'fhéadfadh sé a bheith tógálach!'

D'ardaigh an ghaoth de bheagán. Bearnaíodh an fál ceo in áiteanna agus tugadh spléachadh ar fharraige liath. B'uafásach an radharc a bhí le feiceáil ar an *Dúitseach Reatha*. Bhí an chuma ar na creatlaigh go raibh siad i mbun a gcuid gnáthdhualgas. Bhí trí chreatlach crochta de chábla a cuireadh trí fhrídeoir, mar a bheidís á theannadh chun an crann mór a dhaingniú. Bhí tuilleadh acu ar na slata seoil, a gcosa crochta os cionn na deice. Tuilleadh fós suite ag na gunnaí móra faoi réir le rois philéar a scaoileadh. Suite ar chéim an staighre in airde go dtí an deic dheiridh, bhí ceann eile i ngreim i gconablach circe agus na cleití á mbaint di aige.

'Breathnaigh!' a bhéic Louise Bheag. Chonaic sé an roth stiúrach á chasadh. 'Tá an píolóta ina bheatha!'

Chuir sé múisiam ar an mbeirt acu nuair a chuaigh siad i bhfostú i gcosa an chócaire agus iad ag dreapadh in airde ar an deic dheiridh, ach ba mhó an díomá a bhí orthu nuair a tháinig siad chomh fada leis an bpíolóta. Hata tricorn air agus cóta lofa, choinnigh an creatlach a dhá láimh ar an roth stiúrach, a ghiall íochtarach ligthe anuas aige amhail is go raibh ordú á ghlaoch amach aige.

'Chaithfeadh sé gurb in é an captaen. An bhfeiceann tú na seodra ar a bhráid agus ar a mhéara. Agus a mharc-chlaíomh crochta dá chrios.'

'An long mhaol!' a scairt Dún-do-Ghob. 'Tabharrrfaidh sí go hIfrrreann muid!'

'Foghlaí mara?' a d'fhiafraigh an buachaill.

Ag an nóiméad sin lasc an ghaoth an bhratach ar an gcrann mar a bheadh fuip ann. Bhreathnaigh an bheirt in airde.

'Bra… bratach na gcnámh!' a dúirt Louise Bheag go stadach.

Croitheadh cloigeann an bháis sa ghaoth, agus reoigh a mheangadh gránna an fhuil ina gcuislí.

'Tá *Ordóg na Feirge* imithe,' a dúirt Benjamin go lag.

'Ní fhéadfadh Parabas a bheith i bhfad as seo,' a d'fhreagair a dheirfiúr. 'Scaoilfimid na gunnaí móra le go gcloisfidh sé muid. Chaithfeadh sé go bhfuil púdar i bpoll an armlóin, agus piléir ghunnaí móra ar an droichead.'

'Pléascfaidh na gunnaí móra sa phus orainn má chuirimid an iomarca púdair iontu,' a dúirt Benjamin go himníoch.

'Labhair mé leis na gunnadóirí ar *Ordóg na Feirge* fad is a bhí Tá-agus-Níl ag taispeáint na seolta duit. Má tá a fhios agatsa cén chaoi le léarscáil a léamh agus leis an gcriú a stiúradh, tá a fhios agamsa cén chaoi le púdar a thomhas, é a shá i mbéal an ghunna mhóir leis an maide luchtaithe, agus an t-aidhnín a lasadh. Tá sé éasca.'

'Éasca é a rá, ach is rud eile é a dhéanamh!'

Rug Louise Bheag greim láimhe ar a deartháir agus threoraigh sí é tríd an haiste go dtí an deic.

Bhí foghlaithe mara cnámhacha ann rompu ar gach uile thaobh díobh. Shleamhnaigh an bheirt eatarthu lena mbealach a dhéanamh tríd an haiste síos go dtí an poll. Tháinig Benjamin aníos arís agus ceaig púdair agus aidhníní aige, Louise Bheag ina dhiaidh aniar agus an miosúr agus maide luchtaithe aici siúd. Ar an mbealach, thóg sí lastóir amadou* a bhí i ngreim láimhe ag creatlach.

'Brrr,' ar sí, nuair a theagmhaigh sí leis an gcnámh.

* ábhar so-lasta a déantar as fungas

'Ach, teastaíonn sé seo uaim le mo chnámha féin a thabhairt slán as an long seo.'

'Mo chnnnámha a thabhairrrt slán!' a dúirt an phearóid ina diaidh. 'I bpota an Diabhail libh!'

'Dún do ghob,' a dúirt an bheirt as béal a chéile.

Ar ais ar an droichead, d'iompaigh siad gunna mór thart ar a chuid rothaí, ach chomh luath is a doirteadh amach an púdar thug siad faoi deara go raibh an gunna luchtaithe cheana féin. Chuir

Benjamin an t-aidhnín leis an ngunna, las sé é.... Caitheadh an piléar de phléasc uafásach, briseadh haiste adhmaid agus phreab an gunna mór siar ar chúl.

'I dtosach, caithfimid na sliosphoill a oscailt,' a deir Louise Bheag, 'agus na rothaí a stopadh le dingeanna adhmaid, nó preabfaidh an gunna siar sna cosa orainn.'

'Bhí an iomarca deifre orm,' a dúirt Benjamin.

Thug Louise Bheag croitheadh dá slinneáin. 'Coinneoimid orainn. Cinnteoimid go bhfuil siad ar fad luchtaithe, agus an uair seo ardóimid na haistí ar na sliosphoill agus cuirfimid ding faoi na rothaí.'

Ceann i ndiaidh a chéile, chaith na gunnaí móra a n-urchar, agus scairdeadh maidhmeanna farraige in aer ar dhá thaobh na loinge. D'éirigh an fhuaim ina plabaireacht toirní agus bádh an *Dúitseach Reatha* i ndeatach trom liath. Go gairid ina dhiaidh sin, tháinig dordán chucu i gcéin, mar a bheadh cabhlach iomlán ann ag caitheamh rois philéar in éineacht.

'An gcloiseann tú?' a dúirt Louise Bheag go sásta,

'Tá duine éigin thar íor na spéire ag tabhairt freagra orainn.'

'Breathnaigh amach romhainn,' a dúirt Benjamin de gheit. 'Ní long atá chugainn, ach stoirm!'

Chas an cailín a ceann, an dá shúil agus a béal leathnaithe le huafás. Bhí scamall mór dubh ar an mbealach aniar, agus scala geala toirní á lasadh.

'Dar siorrrc,' a bhéic Dún-do-Ghob, 'is gearrr go mbeimid i bpota an Diabhail!'

Caibidil IV

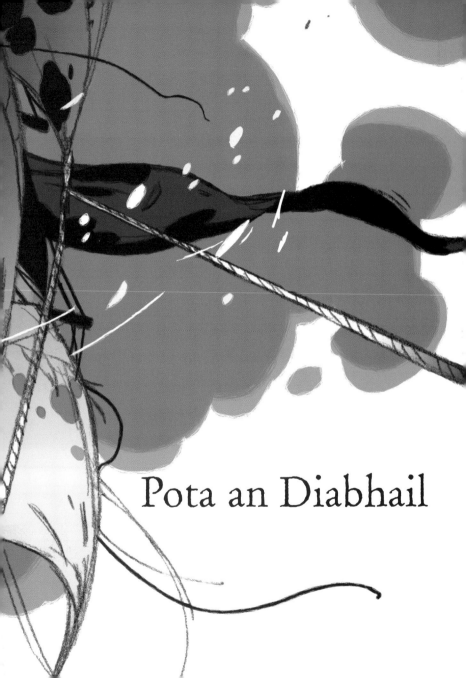

Pota an Diabhail

Bhuail cuaifeach gaoithe an long, agus baineadh croitheadh as an gcrann mór.

'Tá an ghaoth ardaithe!' a scairt Benjamin. 'Caithfear lánscód a thabhairt di.'

'Céard é sin?'

'Tá srón na loinge sa ghaoth. Caithfear seol a chrochadh nó tá baol ann go n-iompófar an long bunoscionn.'

'Cén chaoi? Agus gan ann ach an bheirt againn? Fiú agus an bheirt againn ag tarraingt ar na rópaí ní éireoidh linn an canbhás a chrochadh.'

Dhorchaigh an spéir. D'éirigh an fharraige cháite, agus bhí sí á coipeadh, á hardú agus á suaitheadh, gur ardaíodh tonnta móra áibhéalta. Thosaigh an *Dúitseach Reatha* ag díoscadh le torann na mboltaí á scaoileadh agus na heasnacha á lúbadh.

'An uair seo is mise a bheidh i gceannas,' a deir Benjamin. 'Tá fios mo ghnó agamsa. Tógfaidh mé an roth stiúrach agus ceanglóidh mé cúrsa nua le teacht fairsing ar an ngaoth. Crochfar an soitheach ar nós blaosc cnó ar an tonn, agus coinneoidh sé sin í ó iompú béal faoi.

Thug sé aghaidh ar an deic dheiridh, ach rinneadh staic de os comhair an rotha, gan a fhios aige cén chaoi le breith ar an roth gan lámh a leagan ar chreatlach an chaptaein.

'Déan deifir!' a bhéic Louise Bheag. 'Tá an stoirm sa mhullach orainn.'

'Darrr mo phíopa cailce,' a bhéic an phearóid, 'ach beidh sé ina rrréabadh sna seolta!'

Fuair an buachaill an ceann is fearr ar a chuid déistine, rug sé greim ar an roth lena chasadh, ach ní bhogfadh sé. Chroch sé é féin de bharra an rotha, agus chuir a mheáchan ar fad air, ach níor chorraigh an roth orlach, agus bhí an chuma ar an bhfoghlaí mara sa stiúir gur ag magadh faoi a bhí sé.

'Níl mé in ann! Tá sé greamaithe!'

Chlúdaigh duibheagán an fharraige. Thrasnaigh

croibh thine an spéir os cionn na dtonnta, á lasadh go feargach. Phléasc na scamaill. Thit báisteach thoirní ina bhraonta móra bioracha.

'Nílimid in ann í a chasadh,' a d'fhógair sé, agus a dheirfiúr ag teacht i gcabhair air. 'Caithfimid na seolta a chaitheamh thart le breith ar an ngaoth.'

Ach, dála an rotha, bhí na cáblaí chomh daingean le slata iarainn. Níor corraíodh rópa i bhfrídeoir ná níor casadh slat seoil. Agus é i ndeireadh na preibe, chroch Benjamin é féin de rópa in iarracht dheiridh na seolta a chrochadh. Mhaslaigh sé an long agus thug sé gach ainm faoin spéir uirthi.

'Níl aon mhaith ann,' a dúirt Louise Bheag. 'Níl aon aird ag an long orainn.'

D'airigh Benjamin an t-éadóchas i nguth a dheirféar. Bhuail maidhm mhór mhillteach an *Dúitseach Reatha*. D'ardaigh sí a buaic, á croitheadh san aer, agus chaith sí idir bheo agus mhairbh i ndiaidh a mullaigh anuas ar dhréimire na deice deiridh. Bhí piléir na ngunnaí móra ag rolladh i ngach treo. Ansin dhoirt an long chun cinn.

'Fainic,' a d'fhógair Benjamin.

Phreab an cailín de leataobh. Léim gunna mór amach thar na dingeacha. Rinne sé scraith d'fhoghlaí mara, chuimil in aghaidh Louise Bheag, agus ghreamaigh i gcarnán rópaí.

'Suas linn ar an deic dheiridh,' a dúirt Benjamin. 'Tá an droichead róchontúirteach.'

Rug an bheirt go daingean ar na rópaí, dhreap siad in airde ar an ardán deiridh, agus Dún-do-Ghob ag fógairt os a gcionn go n-ólfaidís anrrraith as pota an Diabhail! Agus é i ngreim sa roth i gcónaí, nocht an Dúitseach mallaithe meangadh gáire. Bhí sé ag baint sásaimh as an ngála, brat stróicthe a chóta crochta ina thimpeall sa ghaoth. Ghreamaigh na hógánaigh den bhinse ar a chúl.

'An scian!' a deir Louise Bheag.

'Cén scian?'

Gan freagra a thabhairt air, bhain sí an scian den fhoghlaí mara, rith i dtreo chábla an tseoil mhóir agus rinne iarracht é a ghearradh.

'Tabhair dom í,' a dúirt a dheartháir, agus é ag teacht ina diaidh aniar. 'Táimse níos láidre ná tusa.'

Thóg sé an scian ina láimh agus thosaigh á tarraingt ar an rópa.

'Nuair a bheidh sé gearrtha againn, ní bhéar-faidh an ghaoth níos mó ar an seol.'

Ach ní raibh aon lagú ag teacht ar an rópa. Le gach maidhm, baineadh croitheadh pianmhar eile as an long. Bhí sí á caitheamh ó thaobh go taobh agus á crochadh in airde agus á caitheamh anuas arís, agus torann á baint as gach clár inti.

'Shílfeá go raibh an soitheach á cosaint féin,' a deir Louise Bheag.

D'éirigh Benjamin as. Ní éireodh go deo leis na seolta a scaoileadh. Is ansin a chonaic sé an sliabh farraige ag madhmadh orthu le búireach uafásach. 'Tá deireadh linn!'

Chaith sé féin agus a dheirfiúr a lámha timpeall ar an gcrann mór, agus d'fháisc greim ar a chéile. Mhothaigh siad an long ag ardú san aer, an fharraige ag éirí in airde ar an deic, ag iarraidh na hógánaigh a sciobadh léi. Lasctha ag an bhfarraige, plúchta ag an gceo, sheas Benjamin agus Louise Bheag go docht. Caitheadh an *Dúitseach Reatha* ar a taobh, dhoirt an fharraige aisti, agus ardaíodh arís í.

B'ar éigean a chonaic an cailín captaen na loinge ag casadh an rotha sular éirigh an dara tonn thar an droichead. Shleamhnaigh lámh Louise Bheag as lámh a dearthár. D'imigh sí leis an tonn nuair a íslíodh an long arís.

'A Louise Bheag!' a bhéic a deartháir.

Dhoirt an sáile amach trí na sliosphoill. Bhuail maidhm na gunnaí. Bhí sé de chiall ag Louise Bheag greim a bhreith ar cheann de na gunnaí móra. Choinnigh meáchan an ghunna í. Ar an gcéad mhaidhm eile tarraingíodh sa treo eile í. Rug a deartháir greim coise uirthi, tharraing ina threo í, agus d'fháisc go teann lena chliabhrach í, agus é féin i ngreim láimhe i rópa an chrainn mhóir.

'Tá sí tugtha thart ag an gcaptaen,' a dúirt an cailín. 'Chonaic mé ag casadh an rotha é!'

Bhí na seolta iompaithe ón ngaoth anois, agus ní raibh buaic na loinge sa ghaoth níos mó, ach í á luascadh ó thaobh go taobh.

'Tá dé éigin faoin mblaosc sin i gcónaí,' a

d'admhaigh Louise Bheag. 'Tá an captaen tar éis an long a shábháil.'

Ag an nóiméad sin thosaigh hata tricorn an chaptaein ag ardú dá chloigeann.

'Céard é sin?'

'Fág seo. Gabhfaimid ar an bhfoscadh faoin droichead. Nílimid in ann tada a dhéanamh anseo. Ar a laghad ní bheimid fuadaithe ag maidhm fharraige.'

Rinne sé a bhealach go cúramach go dtí an haiste, chroch sé an chomhla, agus bhí sé ar tí dreapadh síos ann nuair a thosaigh hata an chaptaein ag glaoch.

'Darrr crrraiceann an diabhail! Tabhairrr amach as seo mé! Slogfaidh sé gan salann mé!'

'Níl ann ach Dún-do-Ghob! Chuaigh sé ar an bhfoscadh faoi hata an chaptaein, agus chaithfeadh sé go bhfuil a chrobh greamaithe ina ghiall aige.'

D'fhan Benjamin go raibh an long dírithe suas arís sular dhreap sé in airde ar an deic dheiridh, thug sé an phearóid slán, agus bhrúigh a hata anuas go dtí na guaillí ar an gcreatlach.

Faoin deic, bhí conablaigh na bhfoghlaithe mara carntha ar gach taobh. Chuaigh na hógánaigh taobh thiar den staighre, rug Louise Bheag ar lámh a dearthár agus d'fháisc go teann.

'Meas tú an féidir long taibhsí a bhá?'

Ní raibh a fhios ag Benjamin. Ní raibh sé ag iarraidh fiú cuimhneamh air. D'éirigh a chroí ina scornach. Ansin, d'fháisc lámh dhofheicthe ar a chliabhrach agus bhrúigh a chuid putóg thíos ina bholg. Bhí an *Dúitseach Reatha* tar éis titim i bpoll agus bhí sí anois ag ardú an chnoic fharraige os a comhair amach. Is ar éigean go raibh Louise Bheag in ann análú. Mhothaigh sise freisin gach luí, gach léim, agus gach creathadh a rinne an soitheach.

'Céard a tharlóidh dúinn?' ar sí de ghlór beag bídeach, mar a bheadh sí ag labhairt léi féin.

Chroith Benjamin a cheann. Chrom an soitheach a srón arís, ach an uair seo shílfeá nach dtiocfadh deireadh go deo lena titim.

'A Dhiabhail!' a bhéic an phearóid. 'Táimid ag dul faoi! Cuirrr na báid i bhfarraige!'

Bhí an mothú bainte as na hógánaigh, agus iad á slogadh i gcroí na stoirme.

Caibidil V

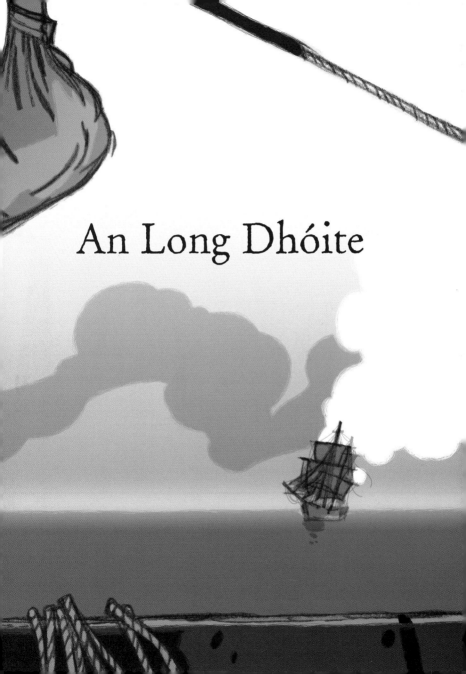

An Long Dhóite

Ach ní féidir long taibhsí a bhá! Ní dhéanann sí ach gáire faoi ghála! Téann sí ar sodar thar fharraige cháite! Trasnaíonn sí an t-aigéan mar a dhéanfadh faoileán!

D'ísligh an ghaoth. Chiúnaigh na tonnta. Ach d'fhan an dath liathghlas ar an bhfarraige, fiú agus goirme na bhflaitheas á nochtú féin sa spéir arís. Dhreap an bheirt ar ais in airde ar an droichead. D'eitil Dún-do-Ghob os cionn na loinge, mar a bheadh sí ag scrúdú na seolta.

'Agus anois?' Lig Louise Bheag osna aisti. 'An gcaithfimid an chuid eile dár saol ar seachrán ar an bhfarraige?'

'Is cinnte go gcasfar longa eile orainn,' a dúirt Benjamin go dóchasach.

'Ach anois agus muid i ngreim aige, bí cinnte de

go bhfuil sé in ann iad a sheachaint,' a dúirt an cailín agus í iompaithe i dtreo an chaptaein mhallaithe.

Thug an buachaill féachaint ina thimpeall. Ní raibh deoraí ar an bhfarraige. Bhí cuma chomh tréigthe uirthi gur fhiafraigh sé de féin an bhféadfadh sé gur bháigh an gála gach soitheach a bhí uirthi. Cá raibh *Ordóg na Feirge*?

'Caithfimid long a mhealladh chugainn,' a dúirt Louise Bheag.

Thuirling an phearóid ar ghualainn Bhenjamin agus d'fhógair: 'Tá mo bholg thiarrr ar mo dhrrroim le hocras! Tabhairrr chugam mo phrrraiseach! Mo phrrraiseach go beo, in ainm Neiptiúin!'

'Téigh ag cogaint ar na foghlaithe mara,' a deir an buachaill de ghnúsacht agus é á scuabadh de lena láimh.

'A chrrrochadóirrr! A chnnneámhaire!'

'Tá sé agam!' Chaith Louise Bheag a dhá láimh ina thimpeall.

'Céard? An phraiseach, an ea? Ní cheapfainn go mbeadh tada le hithe fanta sa pholl. Níl fanta le hithe ach an phearóid chabach sin!'

Leis sin, d'éirigh Dún-do-Ghob de chleitearnach sciathán agus shuigh in airde sa rigín.

'A chrrrochadóirrr! A chanablaigh!'

'Tá a fhios agam cén chaoi a gcuirfimid fios ar long,' a dúirt an cailín. 'Lasfaimid na seolta. Feicfear an deatach i bhfad as seo....'

'Agus gabhfaimid go tóin poill leis an long mura dtiocfaidh long eile i ngar dúinn!' a dúirt a deartháir.

'An fearr leat fanacht anseo go dtitfidh do thóin i do bhríste agus go leáfaidh an dá phluc i do phus? Tú féin a dúirt, níl fanta le hithe againn ach cnámha. Bhuel?'

Bhí an buachaill idir dhá chomhairle. Ach ba léir go raibh an ceart ag a dheirfiúr. B'fhearr dóibh imeacht as an long mhallaithe seo chomh luath agus ab fhéidir.

Chuimhnigh Louise Bheag os ard. 'Tá tarra i bpoll an armlóin. Cuirfimid ar na seolta ar fad é. Lasfaidh sé go héasca!'

Níor thóg sé i bhfad orthu an obair a dhéanamh, ansin las Louise Bheag an lastóir amadou agus chuir an lasair faoin tarra. Phléasc an canbhás ina lasracha a d'éirigh sna seolta. Ardaíodh púir bhán deataigh ó na seolta taise.

Bhí an phearóid ag dul in aer, agus é ag teitheadh ó shlat seoil go chéile ar bharr na gcrann. 'A dhóiteoirrrí! A chrrrreachairrrí! A loscadóirrrí!'

Las na scriútaí, agus ba ghearr go raibh an chulaith loinge ar fad trí thine, agus an soitheach ag díoscadh is ag cneadach, agus í ag leanúint uirthi dá cúrsa trí fharraige dhearglasta.

'Long ahái!' a bhéic Dún-do-Ghob óna fháir ar an gcrann spreoide.

Agus a gcroíthe ag bualadh, rith an bheirt go dtí an tslat bhoird. Bhí bior le feiceáil ar íor na spéire.

'Ní hea, ar chor ar bith, ach trí cinn,' a d'fhógair Benjamin.

Faoi scáth a láimhe, ghrinnigh sé na trí long a bhí ag seoladh chucu.

'Tá siúl fúthu,' a mheas Louise Bheag. 'Is gearr go mbeidh siad tagtha chomh fada linn.'

Mhéadaigh na longa agus iad ag déanamh caol díreach ar an long a bhí i mbaol.

'Frigéid atá sna trí long,' a dúirt Benjamin nuair a d'aithin sé na trí chrann, 'ach níl amharc agam fós ar a gcuid bratacha.'

Phreab an cailín. 'An bhratach! Feicfidh siad bratach na gcnámh agus scaoilfidh siad orainn!'

Bhreathnaigh siad in airde le súil go bhfeicfidís í ag dó, ach bhí bratach na gcnámh ar foluain go mórtasach os cionn na lasracha a bhí á séideadh siar i dtreo chúl na loinge. Rith an bheirt chuig rópa na brataí, ach ní chorródh an rópa san ulóg.

'Crochaimis ár lámha orthu ag iarraidh cúnaimh,' a deir Benjamin. 'Feicfidh siad muid lena ngloine féachana, agus b'fhéidir nach gcaithfidís linn.'

Thuas ar an deic dheiridh, chuaigh siad ag

léimneach agus ag crochadh a lámha go hard. Bhí na trí fhrigéad ag teannadh leo.

'Sasanaigh,' a d'fhógair Benjamin nuair a d'aithin sé a gcuid bratacha.

Thosaigh siad ag iompú uathu chun taobhanna na long a thaispeáint dóibh.

'Tá siad ag dul ag caitheamh linn!' a bhéic Louise Bheag. 'Chaithfeadh sé go gceapann siad gur gaiste atá anseo ag na foghlaithe mara dóibh, agus tá siad ag fáil faoi réir le rois philéar a chaitheamh linn.'

Go tobann, d'ísligh an *Dúitseach Reatha* a srón. Tumadh an dealbh loinge faoin sáile agus shín an crann spreoide amach os cionn na farraige.

Lig an bheirt béic in éineacht agus caitheadh anuas ar an deic iad.

Bádh smut na loinge faoi na tonnta agus d'éirigh deireadh na loinge in airde. Taobh istigh d'achar beag bhí an long faoi na tonnta agus gan le feiceáil di ach coipeadh ar an bhfarraige agus bolgóidí ag éirí go barr uisce. Bhí Dún-do-Ghob ag faoileáil os cionn agus gach béic as: 'Dhá mhairrrnéalach i bhfarrraige!'

Tháinig dhá chloigeann go barr uisce. Cuireadh bád iomartha i bhfarraige agus, le cúpla buille ar na maidí, bhí sí tagtha chomh fada leis an mbeirt snámhaithe. Chroch lámha láidre as an bhfarraige iad. Ní raibh na hógánaigh agus na mairnéalaigh ach tagtha ar bord an fhrigéid nuair a d'éirigh bratach na gcnámh ar ais aníos as an bhfarraige. D'ardaigh na seolta, na crainn agus an rigín as an aigéan. Shuigh an *Dúitseach Reatha* ar bharr na farraige arís, an t-uisce ag doirteadh aisti, na lasracha múchta. Rinneadh staic de na mairnéalaigh. Faoin am ar tháinig ceannfort an scuadrúin chuige féin bhí sé ródheireanach le caitheamh léi. Scinn an long mhaol isteach idir dhá long, tháinig sí thart sa ghaoth, agus d'imigh léi faoi lánseol.

'Sin í an *Dúitseach Reatha*,' a dúirt an ceannfort. 'Céard a thug ar bord na loinge sin sibh?'

Tháinig lagmhisneach ar Bhenjamin agus Louise Bheag. Ba gheall le dhá iasc sáinnithe ar an droichead iad, agus níor thuig siad focal de Bhéarla an tSasanaigh.

'Is Francaigh muid,' a dúirt an cailín. 'As Páras muid.'

Is naimhde de chuid Shasana sibh, mar sin,' a dúirt an t-oifigeach leo i bhFraincis. 'Cé leis sibh?'

'An Captaen Rroc,' a scairt an phearóid.

'An leis, anois?'

'Ní leis,' a dúirt Benjamin. 'Tá ár n-athair caillte, agus bhíomar inár ngiollaí loinge ar *Ordóg na Feirge* sula...'

Bhí sé ráite aige sular chuimhnigh sé air féin. Ródheireanach. Dhún Louise Bheag a súile agus chuir sí strainc uirthi féin.

'Sin long na Féasóige Duibhe*! Mura raibh an scéal sách dona agaibh!!! Síol foghlaí mara atá anseo againn, an ea?' Scrúdaigh sé ó bhonn go baithis iad. 'Ba chóir sibh a chrochadh den seol mór, ach mar nach bhfuil ionaibh ach gasúir, ní dhéanfaidh mé ach sibh a chaitheamh i bpríosún Phort-Royal in Iamáice. Táimid ar ár mbealach ann chun garastún an oileáin** a neartú.

'Hóra, a mháistir ceathrún,' a bhéic sé i mBéarla. 'Cuir an bheirt seo sa pholl dom, agus coinnigh ann iad go mbainfimid an t-oileán amach. Maidir le scéal na loinge maoile, sin scéal a bheidh níos doiléire ná ceo na farraige, déarfainn. Ceisteoidh mé iad ar ball.'

'Dar crrraiceann an diabhail, ní bheidh Parrrabas sásta,' a bhéic Dún-do-Ghob, agus an bheirt pháistí

* An Fhéasóg Dhubh, foghlaí mara clúiteach. Féach *Éalú as Páras*.
** Ghabh na Sasanaigh Iamáice ó na Spáinnigh i 1655.

á mbrú i dtreo an haiste agus síos go dtí an poll. 'Nuairrr a thiocfaidh sé ní bheidh sé sásta!'

'Agus abair leis an gcócaire breith ar an éan mí-ámharach sin agus é a fheannadh dom!' a deir an ceannfort leis an máta.

'Súdairrre! Feannadóir!' a bhéic an phearóid agus é ag éirí in airde sna seolta.

'Tá cúpla teanga ar a thoil ag an mbithiúnach, ní hionann is cuid againn! A dúirt an ceannfort leis féin, agus é ag filleadh ar a chábán.

'R-rrrr!'

Marie Dhearg

Ar chósta theas Iamáice, ar cheann leithinse, chosain Port-Royal Cuan Kingston, an t-achar farraige idir an baile agus an t-aigéan. Cé go raibh botháin adhmaid i mullach a chéile faoi scáth na gcrann pailme ar fud an chósta, bhí croílár an bhaile tógtha thart timpeall ar shéipéal a thóg na Spáinnigh agus ar dhún láidir a thug smacht don gharastún ar an gcuan agus ar an gcalafort. Bhí gunnaí móra sna túir agus i ngeataí an bhalla chosanta dírithe ar an bhfarraige. Ba sa dún sin a chaith Benjamin agus Louise Bheag gach lá ó mhaidin go hoíche.

Bhí lámh an chailín crochta as barraí iarainn na fuinneoige, agus í ag breathnú amach ar na báid a bhí ag teacht is ag imeacht sa chuan.

'Meas tú cá ndeachaigh Dún-do-Ghob,' a

d'fhiafraigh Benjamin de féin. 'Ní fhacamar é ó caitheadh sa chillín muid.'

'Seans gur eitil sé leis i measc a chuid comhphearóidí nuair a bhaineamar an t-oileán amach.'

'Tá súil agam nár tharla tada dó. Bhí mé ag dul i gcleachtadh air.'

'Bhí, agus mé féin,' a d'admhaigh Louise Bheag. 'Ba é an ceangal a bhí againn é le *hOrdóg na Feirge*. Anois táimid inár n-aonar.'

'Táimid níos measa ná mar a bhí i bPáras. Tá a fhios againn anois cé hé ár n-athair, agus táimid ag fulaingt ar a shon!'

Rinne doras díoscán ar a chuid insí, bhain coiscéimeanna macalla as an bpasáiste taobh amuigh de na cillíní. Sheas fear taobh amuigh de haiste chillín na bpáistí.

'Amach!' a scairt sé i bhFraincis.

'Tá tú … tá tú ag ligean dúinn imeacht?'

'Níl an gobharnóir ag iarraidh páistí faoi bhun cúig bliana déag sna cillíní,' a d'fhógair sé. 'Ná ceap ar feadh soicind go bhfuil sé le síol foghlaí mara a ligean saor. Tá duine agaibh le cabhrú le sean-

Shelsey go dtí go mbeidh sé in aois a dhul sna saighdiúirí agus an duine eile le cur ag obair sa chistin. Déanfaimid iarracht clann an Chaptaein Roc a chur ar bhóthar a leasa!'

Bhí Louise Bheag míshásta. 'Sa chistin? Cén fáth nach bhféadfadh an bheirt againn dul le saighdiúireacht?'

Rug an fear greim gualainne ar Louise Bheag agus bhrúigh roimhe amach an doras í. 'Sna foghlaithe mara amháin a bhíonn mná i mbun airm, ar nós Mharie Dhearg atá ceangailte ina cillín. Feiceann sibh cár fhág sé sin í!'

'Tá Fraincis mhaith agat,' a dúirt Benjamin. 'Shíl mé gurb iad na hoifigigh amháin…'

'San áit seo theastódh cúpla teanga ó dhuine. Ar dtús b'iad na Spáinnigh a bhí i gceannas, ansin tháinig na Sasanaigh … agus is gearr uainn na Francaigh. Ní bheidh sibh i bhfad ag foghlaim an Bhéarla. Tuigeann sean-Shelsey fiú teangacha Indiaigh Mhuir Chairib.

Sean-Shelsey! Bhí sé bacach agus cam, agus bhí cloigeann air cosúil le tornapa, ach bhí súil ghrinn aige a d'aimseodh an rún a bhí faoi do chroí agat. 'Ní fhanfaidh an bheirt sin i bhfad taobh istigh de na ballaí seo,' a mheas sé nuair a thug an garda na hógánaigh chuige. 'Éin mhara iad.'

'Má éalaíonn siad agus má thógtar arís iad, is í an chroch atá i ndán don ghasúr agus príosún saoil don ghearrchaile,' a bhagair an garda.

'Déanaim beagán de gach uile shórt anseo sa dún,' a mhínigh Shelsey dóibh nuair a bhí an garda imithe. Ó chúipéireacht go deisiú na nglasanna. Ach ar dtús, taispeánfaidh sibh dom cén chaoi a n-iompraíonn sibh airm.'

'Airm?' a dúirt Louise Bheag ina dhiaidh agus meangadh go cluas uirthi. 'Claíomh? Scian? Piostal?'

'Scuab,' a deir an seanduine go borb, agus shín sé scuab an duine chucu.

Dhá uair an chloig go maith a chaith Benjamin agus Louise Bheag ag glanadh na sráide. Bhí saighdiúirí i gcótaí dearga ag teacht is ag imeacht idir na foirgnimh éagsúla, agus b'éigean don bheirt seasamh siar go minic lena ligean tharstu. Earcaigh

nua a bhí iontu, a tháinig le scuadrún an cheann-
foirt, agus oifigeach ardghlórach ag iarraidh iad a
chur ag máirseáil ar comhchéim.

Chaith an cailín a scuab ar an talamh. 'Níl aon
mhaith ann,' a deir sí. 'Tá na gliomaigh sin ag máir-
seáil ar na carnáin deannaigh atá scuabtha againn,
agus á leathadh ar fud na háite. Agus ar aon nós,
níor thugamar aghaidh ar ghálaí agus ar thaibhsí le
snas a chur ar bhróga na Sasanach!'

'Ach céard is féidir linn a dhéanamh?'

'Breathnaigh ormsa.' Bhain sí an scuab dá dear-
tháir agus chuir lena gualainn é, mar a dhéanfaí le
muscaed ar paráid.'

'A haon dó, a haon dó, a haon dó,' a bhéic sí
agus í ag satailt ar na torthaí lofa a bhí carntha acu.
'Lig ort féin gurb in iad na Sasanaigh,' a deir sí go
glic.

Go tobann ardaíodh glór Shelsey de bhéic. 'Hóra,
an bheirt agaibh! Múinfidh mise daoibh cén chaoi
le breith ar scuab!'

Bhí beirthe uirthi. Sheas an cailín agus chrom sí
a ceann. 'Gabh ag feadaíl,' a dúirt sí faoina fiacla.

'An chéad deis a fhaighim agus beidh na scuaba i dtine an bhácúis.'

'Agus cuirfidh Shelsey iallach orainn an tsráid a ghlanadh lenár lámha,' a deir Benjamin os íseal. 'Cuimhnigh ar an rud a tharla ar *Ordóg na Feirge* lenár gcuid léinte!'

'Críochnóidh sibh an scuabadh níos deireanaí. Anois caithfidh sibh bia a thabhairt chuig na príosúnaigh. Leanaigí mise go dtí an chistin.'

'Agus muid féin, cén uair a íosfaidh muid?'

'Nuair a bheidh an tsráid scuabtha agaibh.'

Go gairid ina dhiaidh sin, agus dhá phota mhóra á n-iompar acu — uisce i gceann amháin agus anraith lintile sa cheann eile — rinne na hógánaigh a mbealach síos na pasáistí go dtí na cillíní. Threoraigh an garda iad ar dtús go dtí cillíní na bhfear, agus ansin lig sé síos sa tollán iad go dtí cillíní na mban, san áit a raibh siad féin coinnithe. Ba í Marie Dhearg an t-aon duine a bhí coinnithe sa chuid seo den phríosún. Thart ar chúig bliana fichead d'aois a bhí sí. Ógbhean shlachtmhar bhuíchraicneach a bhí inti, iníon le fear bán agus Indiach mná. Bhí a folt fada dubh ligthe anuas ón mbanda craorag a bhí fáiscthe ar a ceann, rud ba chúis lena leasainm 'Marie Dhearg'. Shín an deartháir agus an deirfiúr a cupán agus a pláta isteach idir na barraí chuici. Agus iad ar tí imeacht labhair sí leo.

'Cloisim go dtugann siad páistí an Chaptaein Roc oraibh. Cén fáth?'

'Mar is é ár n-athair é,' a d'fhreagair Benjamin.

'I ndáiríre? Agus cá bhfuil an cruthú?'

Bhí an gasúr ar tí freagra a thabhairt uirthi, ach tháinig Louise Bheag roimhe. 'Céard a bhaineann sé duit? An bhfuil aithne agat air?'

'B'fhéidir go bhfuil.'

'Ar labhair sé riamh fúinn?'

'D'airigh mé é ag rá gur fhág sé bean is dhá leath-chúpla sa Fhrainc, ach níor chreid mé é. Feictear domsa go samhlaíonn daoine teaghlaigh dóibh féin lena gceangal a choinneáil lena dtír dhúchais. Ach i ndáiríre, níl ach tír amháin againn, an fharraige. Agus teaghlach amháin, an criú. Tá sibh ag ligean oraibh gur leis an gCaptaen Roc sibh ar mhaithe le haird a tharraingt oraibh féin.'

Dhearg Benjamin. 'Tá dul amú ort! Is muidne a chlann agus tá cruthú againn....' D'ardaigh sé a lámh go dtí a bhóna lena shlinneán a nochtadh agus an tatú den léarscáil ar a chraiceann a thaispeáint di, ach bhuail Louise Bheag cic air. Tharraing an t-ógánach siar a lámh, ansin chuaigh sé ag tochas a shlinneáin.

Ach, ní dheachaigh a chéad iarracht amú ar Mharie Dhearg. D'imigh an bhoige as a héadan, d'fháisc sí a beola ar a chéile agus stán sí go hamhrasach orthu. De ghlór fuar labhair sí. 'An cruthú? Cá bhfuil an cruthú?'

'Is cuma linne mura gcreideann tú muid,' a d'fhreagair Louise Bheag.

Thóg sí a cuid bia, ag tabhairt le fios dóibh go raibh sé in am acu imeacht.

'Fanaigí!'

Thug na hógánaigh croitheadh dá nguaillí agus chas siad le himeacht.

'Fanaigí. Tá aithne mhaith agamsa ar an gCaptaen Roc.' Bhí an bhoige ar ais ina héadan. A baithis brúite in aghaidh na mbarraí, bhí sí ag impí ar an mbeirt cluas a thabhairt di. 'Más sibh a chuid páistí i ndáiríre, tabharfaidh mé chomh fada leis sibh.'

'Muid a thabhairt chomh fada leis?' Rinne Benjamin gáire agus é ag casadh ar ais chuici. 'An bhfuil pasáiste rúnda i do chillín?'

'Cabhraigí liom éalú as seo agus tabharfaidh mise chomh fada lena pholl folaigh sibh — m'fhocal mar fhoghlaí mara, go dtabharfaidh.'

Tháinig Louise Bheag ar ais chuici go mall agus thóg sí an pláta folamh uaithi. 'Agus chomh luath is a bheimid taobh amuigh, ní fheicfimid arís thú! Cén fáth ar athraigh tú d'intinn? Tá a fhios againn go maith go bhfuil Deaide i bhfolach ar Oileán na Toirtíse. Tiocfaimid air gan do chúnamh.'

Chualathas coiscéimeanna sa tollán. Tháinig an garda i láthair, a chuid eochracha crochta dá chrios. 'Muise, thóg sibh bhur n-am ag caitheamh a cuid praisí chuici!'

'Dár crúca an diabhail, ach is mór an céasadh sibh,' a scairt Marie Dhearg leis an mbeirt, 'agus gan ionaibh ach dhá naíonán atá fós ag diúgadh bhainne na bó!'

Rinne an bairdéir gáire. 'Is deas an chaint a bhíonn ag foghlaithe mara. Amachaigí libh, tá sean-Shelsey ag fanacht libh. Táim ag ceapadh go bhfuil obair éigin le críochnú agaibh sula bhfaighidh sibh greim le hithe.'

Le meangadh mór glic, rinne sé aithris ar obair na scuaibe.

Nuair a tháinig siad amach as an bhfoirgneamh chuir Benjamin an cheist a bhí ar bharr a ghoib aige. 'Cén fáth a dúirt tú léi go raibh Deaide i bhfolach in Oileán na Toirtíse? Tá a fhios agat go maith nach ansin atá sé ach...'

'Bhí mé ag iarraidh a bheith cinnte nach ag magadh fúinn a bhí Marie.'

'Cén chaoi?'

'Tá a fhios aici cá bhfuil Deaide.'

'Ach ní dúirt sí focal.'

'M'anam go ndúirt. Bhí a fhios aici go raibh mé ag iarraidh breith uirthi. Nuair a dúirt sí na focail Céasadh agus Bó bhí sí do mo cheartú.'

'Dár ndóigh!' Bhuail Benjamin a bhois ar a bhaithis nuair a tháinig tuiscint chuige. 'Na Cayes amach ó Oileán na Bó!' An baile a dtéann Deaide ann nuair a thagann sé ar ais ó thuras farraige. Ní fhéadfadh Marie an áit a lua go hoscailte os comhair an bhairdéara.... Ach nílimid le cabhrú léi éalú, an bhfuil?'

'Éist!' a deir Louise Bheag de chogar. 'Seo chugainn Shelsey. Nuair a bheidh mise críochnaithe leis sáfaidh mé an scuab seo siar ina scornach agus tabharfaidh mé an diabhal le hithe dó!'

Caibidil VII

Comhrrrá
sa Dorrrchadas

D'imigh lá i ndiaidh lae. Laethanta a caitheadh le Shelsey i seomra beag in aice lena sheomra codlata. Laethanta a caitheadh ag scuabadh na sráide, ag sciúradh na ndraenacha, ag breith beatha chuig na príosúnaigh, agus ag cur suas le fearg bhodhar Mharie Dhearg agus í ag iarraidh iad a ghríosú.

'Níl sibh ag iarraidh bhur saol a chaitheamh anseo, an bhfuil?' a deir sí arís is arís eile leo. 'Má thriaileann sibh dul ann asaibh féin ní éireoidh libh. Níl eolas agaibh ar na poill fholaigh ar an mbaile seo, ná an tír mórthimpeall orainn. Níl aon seans agaibh teacht ar na Cayes san Easpáinneoil*. Ní éireoidh libh fiú Port-Royal a fhágáil. Agus tá a fhios agaibh céard atá i ndán do mhéirligh nuair a thógtar arís iad!'

Shocraigh Louise Bheag agus Benjamin gan

* Haïti.

freagra a thabhairt uirthi níos mó. Le teann buile, bhuail an bhean óg doras an chillín, tharraing sí ar na barraí, agus chaith sí a pláta le balla.

'Tá boladh iasc lofa ar mo mhéaracha,' a dúirt Louise Bheag, tráthnóna, agus iad i mbun a gcuid dualgas. 'Tá boladh ar gach uile bhall de mo chorp ó bheith ag obair le bruscar.'

'Tá agus ormsa,' a dúirt Benjamin. 'Ba bhreá liom mo chraiceann a bhaint díom mar a dhéanfadh nathair nimhe.'

'Ba mhaith liomsa nathair nimhe a dhéanamh díom féin agus sleamhnú amach trí na ballaí seo.'

'Tá Shelsey ag faire orainn.'

'Shelsey, an bairdéir, na saighdiúirí…. Meas tú cén bealach a bhí i gceist ag Marie Dhearg éalú as an dún. Chaithfeadh sé go bhfuil plean aici, nó ní iarrfadh sí orainn éalú léi.'

'Ná lig don chailín sin dallamullóg a chur ort!' a deir Benjamin go himníoch. 'Tá a fhios aici cé muid féin mar bhí sé de mhí-ádh orm labhairt ar chruthú agus mo lámh a leagan ar mo ghualainn. Chaithfeadh sé gur chuala sí go raibh dhá chuid de léarscáil an Chaptaein Roc greanta ina thatú ar ghuaillí a chuid páistí. Is iad na píosaí den léarscáil atá uaithi, órchiste Dheaide. Chomh luath is a bheadh muid inár n-aonar léi dhéanfadh sí cóip de na tatúnna agus ansin mharódh sí muid agus d'fheannfadh sí an craiceann dínn.'

'Níl muinín agamsa ach an oiread as Marie Dhearg,' a d'admhaigh Louise Bheag, 'ach táimid ag brath uirthi. Beimidne sáinnithe sa dún seo fad is a bheidh sí ina príosúnach. Agus tá aithne aici ar Dheaide!'

Ní raibh aon fhreagra ag Benjamin ar an méid sin. Ar deireadh, labhair sé. 'Bhuel? Tá sé socraithe, mar sin? Táimid le muid féin a chur i mbaol?'

Níor thug sí freagra air. Bhí a súile dírithe ar íor órga na spéire.

Labhair Benjamin arís. 'Nuair a chuimhním ar a bhfuil ar bun againn….'

Ní dúirt sí tada, ar dtús, ach a dhá láimh a fháisceadh ina thimpeall go cosantach. 'Tá Deaide ansin thiar,' a dúirt sí go dearfa, 'san áit ina bhfuil an ghrian ag dul faoi.'

'Más sna Cayes nó ar Oileán na Bó atá sé tá tú ag breathnú sa treo mícheart,' a dúirt Benjamin. 'Thoir ansin atá sé,' agus thaispeáin sé lena mhéar an oíche ag dorchú san oirthear. 'Céard a cheapann tú a bhí ar bun agam nuair a bhí mé ag déanamh staidéir ar na léarscáileanna ar *Ordóg na Feirge*?'

'Nnnia-nnnia-nnnnnia!' Chuir Louise Bheag amach a teanga faoi. 'Is go siombalach a bhí mé ag caint!'

'Cén uair a dhéanfaimid an beart?'

Thug an cailín croitheadh dá slinneáin, ag tabhairt le fios nach raibh a fhios aici, nuair a thit rud éigin liath anuas ar mhúr an dúin os a gcomhair amach. Baineadh preab chomh mór astu gur lig an bheirt béic.

'Chun trrroda! Chuile dhuine ar deic! Tá Parrrabas ar ais!' Chuimil an pheáróid Dún-do-Ghob a ghob lena chrobh, ansin dhírigh sé aníos, chuir amach a chliabhrach agus lig grág eile as. 'Tá Parrrabas ar...'

'Éist!' Rug Louise Bheag greim muiníl ar an bpearóid. 'Cloisfidh na gardaí thú!'

'Rrrrrrrú!'

'Cá bhfuil Parabas?' a d'fhiafraigh Benjamin de i gcogar.

'Rrrrrrrú!'

'Tá sé ag fanacht linn in áit éigin?'

'Rrrrrrrú!'

'Tá sé anseo, anocht. Tá sé ag teacht amárach? Níos deireanaí?'

'Rrrrrrrú!'

'An bhfuil teachtaireacht agat dúinn?'

'Rrrrrrrú!'

Bhí mífhoighne ag teacht ar Louise Bheag. 'Céard go díreach a dúirt an Marquis leat?'

'Rrrrrrrú!'

'Tá tú ag cur cantail air,' a dúirt Benjamin léi. 'Ní éireoidh linn scéala ar bith a fháil uaidh go socróidh sé síos. Bí lách leis.'

'Rrrrrrrú!'

'Oscail do ghob, a mhála cleití!' Bhain Louise Bheag croitheadh as an éan. 'Nó geallaim duit, dar adharca an Diabhail, go gcrochfaidh mé den túr is airde sa dún seo thú!'

'A chrrrochadóir! A fheannadóir! A phlúchairrre!
... Ar uair an mheán oíche, dhá léig soir!'

'Tá sé ag rá go scaoilfidh *Ordóg na Feirge* ancaire anocht ar an taobh thoir den leithinis,' a mhínigh an gasúr.

'Ar ais chuig Parabas,' a dúirt an cailín. 'Abair leis teacht chuig an dún i mbád. An dún. I mbád. Abair i mo dhiaidh é. An dún. I mbád.'

'Rrrrrrrú!'

'A chloigeann pota!'

'Rrrrrrrú!'

Leag Benjamin a lámh ar láimh a deirféar. 'Ní amadán é. Thug sé leis é. Is iontach an teachtaire é.'

'Iontach! Dochrrreidte!' D'eitil Dún-do-Ghob in airde thar an bhfarraige agus gach uile bhéic as. 'An dún! I mbád! In ainm Neiptiúin!'

'Bhuel?' a deir Benjamin.

'Chuala tú féin. Éalóimid anocht. Le Marie Dhearg. Mar má tá Parabas ag fanacht linn ar an bhfarraige, is í féin amháin a bheidh in ann muid a thabhairt amach as an dún.... Bíodh muinín agat asam: an chuid a bhaineann le troid, tá eolas agamsa air sin!'

'Rrrrrrrú!'

Boladh na Saoirse

Scinn dhá scáil le balla i dtreo an phríosúin.

'Tá tú cinnte go bhfuil Shelsey ina chodladh go sámh?'

'Tá sé ag srannadh ar nós ghunna mhóir. D'fholmhaigh sé an buidéal rum* tar éis a shuipéir.'

Chaith na hógánaigh súil sciobtha ina dtimpeall lena chinntiú nach raibh na gardaí faire sa chlós, ansin d'éalaigh siad isteach i dteach an phríosúin. Faoi sholas lampa, lean siad pasáiste fada gur tháinig siad ag coirnéal, ansin dhreap siad suas na céimeanna i dtreo sheomra an bhairdéara. Leath bealaigh suas na céimeanna, shín siad téad trasna ó dhá fháinne iarainn a bhí ar dhá bhalla an phasáiste. Ansin, thug Benjamin cloch mhór leis agus sheas sé taobh thiar den choirnéal, agus chuaigh a dheirfiúr suas chomh fada leis an doras mór adhmaid. Bhuail sí

---

* deoch mheisciúil

go láidir ar an doras chun an bairdéir a tharraingt as a leaba, áit a raibh sé ina chodladh ina chuid éadaigh. Chuala sí é ag gnúsacht agus ag casadh. D'oscail an doras isteach ar phus mór míshásta.

'Céard atá uait?'

'Chuir Shesley anseo mé do d'iarraidh. Tá gnó éigin tábhachtach aige duit.'

'Ag an am seo d'oíche! An bhfuil sé as a mheabhair?'

'Go díreach é, níl sé ag iarraidh go mbeidh a fhios ag aon duine. Baineann sé le rud éigin a rinne tú. Tá ceannfort an dúin le ceangal. Tá duine éigin tar éis sceitheadh ort!'

'Rud éigin a rinne mise?' Bhí iontas ar an mbodach. 'Ach ní dhearna mise…'

Tháinig Louise Bheag roimhe. 'Dúirt Shelsey leat deifir a dhéanamh. Ní cúis gháire ar bith é!'

'Níl a fhios agam,' a dúirt an bodach, agus a chloigeann á thochas aige.

'Míneoidh Shelsey duit é. Cabhróidh sé leat do chosa a thabhairt slán as seo, ach tá sé ag iarraidh labhairt leat ar dtús. Níl tada eile ar eolas agamsa.'

Dheifrigh an bairdéir síos an pasáiste agus é ag gnúsachtach os ard, rud a chiallaigh go raibh sé ag déanamh a mhachnaimh ar an scéala. Tháinig sé chomh fada leis an staighre, rith síos na céimeanna, d'imigh an dá chos faoi, lig mionn mór as agus thit go trom anuas ar urlár an phasáiste. Tháinig Benjamin amach as an scáil, bhuail buille den chloch ar chúl a chinn agus bhain an mothú as. Scaoil Louise Bheag a chrios agus bhain de na heochracha.

'Fan anseo. Ní bheidh mé i bhfad,' a dúirt an cailín. 'Má dhúisíonn sé, buail iarraidh eile air.'

Agus an lampa ina láimh aici, dhírigh sí ar chillíní na mban. Ag bun an tolláin tháinig sí chomh fada le cillín Mharie Dhearg. Bhí an bhean óg ina suí gan mhoill. Níor chuir sí focal amú. 'Tú féin atá ann. Bhí sé thar am agat.' Ansin thriail Louise Bheag na heochracha sa ghlas gur éirigh léi an doras a oscailt. Rith siad síos an tollán ansin gur tháinig siad chomh fada le Benjamin ag bun na gcéimeanna.

'As seo amach,' a deir Marie Dhearg, 'leanfaidh sibh mise. Gan focal as aon duine, agus gan solas.' Thosaigh an bairdéir ag corraí. Rinne sí mionacha den lampa anuas ar a chloigeann.

Tháinig an triúr acu amach as an bhfoirgneamh. Shleamhnaigh siad faoi scáil isteach i suanlios na saighdiúirí.

'Éist.' Leag an bhean óg méar ar a béal chun iad a chiúnú, agus dhírigh sí ar an leithreas.

'Tá sé lofa,' a dúirt Louise Bheag de chogar. 'Níl mé ag dul isteach sa leithreas.'

'Tá bealach amach go farraige sa leithreas. D'éirigh liom mo shúil a chaitheamh air sular gabhadh mé.'

'Ach níl tú ag súil go ngabhfaimid síos an poll sin, an bhfuil?'

'Ná bíodh aon imní oraibh. Tá fuinneog sa bhalla agus níl aon bharraí uirthi. Cabhróidh mé libh dreapadh go dtí leac na fuinneoige. Nuair a bheimid san uisce snámhfaimid i dtreo an chalaidh. Tá mo bhádsa, an *tIontas*, ar ancaire sa chuan. Slúpa atá inti, tá sé furasta í a sheoladh. Cruinneoidh mé criú nua amach anseo — crochadh mo chuid fear ar fad.'

Ba é Benjamin ba thúisce a dhreap in airde agus a chuaigh amach an fhuinneog. 'Tá sé ard.'

'Nuair a bheidh tú ag damhsa ag bun rópa ní bheidh do chosa chomh fada ón talamh. Léim!'

Thóg an gasúr anáil mhór, dhún sé a shúile, agus chaith sé é féin i ndiaidh a mhullaigh.'

Múchadh torann an tumtha le briseadh na farraige ar an gcladach. Sádh trí chloigeann aníos. Chaith solas na gealaí brat airgid os cionn na mara.

Bhí cruth mór dorcha os cionn na farraige, in aice leo.

'An long atá ansin nó carraig?'

'Leanaigí mise.'

D'airigh siad cleitearnach os a gcionn. 'Ar an gceann tíre thoirrr, a mhairrrnéalaigh! Parrrabas ag fanacht libh!'

'Parabas?' Bhí iontas ar an mbean óg. 'Céard atá an cunús sin de mharquis ag déanamh anseo?'

'Ar ár dtóir,' a d'inis Louise Bheag di. 'Shaoraigh muid thú le go bhféadfása muid a threorú amach as an dún. Anois caithfimid dul ár mbealach féin.'

Níor fhan focal ag Marie Dhearg. Le teann buile thriail sí cloigne na n-ógánach a thumadh faoin sáile, ach stop sí nuair a chonaic sí bád ag teacht ina dtreo.

'Casfar ar a chéile arís muid,' a dúirt sí go feargach. 'Ná ceap go bhfaighidh sibh an ceann is fearr ormsa!'

Thum sí í féin faoin bhfarraige ansin agus d'imigh ag snámh faoi dhromchla na mara ionas nach bhfeicfeadh na foghlaithe í. Chroch beirt fhear na hógánaigh isteach sa bhád. B'ansin a phléasc piléar as gunna mór. Rinne an t-urchar torann ar nós na toirní san oíche.

'Tá an bairdéir ina dhúiseacht agus tá scéala tugtha aige don gharastún.' Tháinig creathán i nglór Bhenjamin. 'Má bheirtear orainn, crochfaidh siad muid.'

Rinne duine de na fir gáire agus d'aithin an bheirt é, Buille Claímh. 'Foghlaithe mara cearta anois sibh!'

Bhí *Ordóg na Feirge* ar ancaire i ngar dóibh, gach solas múchta.

'Fáilte ar borrrd!' a bhéic Dún-do-Ghob. 'Crrroch an t-ancairrre. Cuir chun farrrraige, in ainm Neiptiúin!'

Chas an soitheach go mall ar a cíle, agus líon an ghaoth na seolta go díreach agus tóirsí á lasadh ar mhúrtha an dúin chun an cósta a shoilsiú.

'Go n-éirí leat, a Mharie Dhearg,' a dúirt Louise Bheag léi féin agus a lámh crochta aici i mbeannacht léi.

'Marie Dhearg, muis! Tá sí saor, mar sin, an bhfuil?' Tharraing Parabas gal as a phíopa. 'Níor mhór dom a bheith ar m'aire. Tá tuairim agam nach muid féin amháin a bheidh sna Cayes ar thóir an Chaptaein Roc.'

Chuaigh sé chomh fada leis na hógánaigh. 'Rinne Dún-do-Ghob an-obair,' a dúirt sé. 'Tháinig sé orainn amach ón Easpáinneoil agus chuir sé in iúl dúinn go raibh sibh i bPort-Royal. Is iontach go deo an t-éan é.'

'Tá an ceart agat,' a dúirt Benjamin. 'Ach scaití ní dhéanfadh sé aon dochar dá ndúnfadh sé a bhéal!'

'Tá aithne agat ar Mharie Dhearg?' a d'fhiafraigh Louise Bheag den Mharquis.

'D'airigh mé caint uirthi,' a dúirt Parabas go seachantach, 'ach níor casadh riamh orm í. Is mar a chéile í le gach uile fhoghlaí mara, ach amháin gur bean atá inti.'

'Hmmmm, níl a fhios agam cé chomh fíor is atá sé sin,' a dúirt Louise Bheag léi féin. 'Bhí an chuma ar an scéal go raibh aithne mhaith ag Marie ort.'

Leag Parabas a dhá láimh ar a nguaillí. 'Bhuel, a chomrádaithe, caithfidh sibh a inseacht dom céard a tharla daoibh ó d'imigh sibh sa cheo uainn ar an soitheach taibhsiúil.'

'Lig dúinn ár n-anáil a tharraingt ar dtús,' a d'fhreagair Louise Bheag.

'Sea,' a deir Benjamin, 'is beag nach raibh dearmad déanta againn ar bholadh na saoirse!'

An tÚdar

'Dar adharrrca an diabhail, iarradh orrrmsa, Dún-do-Ghob, labhairrrt ar son an údairrr. Is beag am a chaith sé ar an bhfarrraige, b'fhearrr leis na sléibhte. Ach níor stop sé sin é ag samhlú rrruathair loinge agus ionsaithe marrra. Táim cinnte go bhfuil a fhios aige cár cuireadh an t-ór i bhfolach, ach baineann sé sásamh as muid a thabhairt ar chamchuairt mhara. Caithfear an tsraith ar fad a léamh sula bhfeicfidh tú cá bhfuil an t-órrrchiste — rud a chinnteodh go mbeadh eachtrrraí mórrra farrraige againn, in ainm Neiptiúin!'

An tEalaíontóir

'I Roanne i 1982 a saolaíodh mé, agus thuig mé go raibh tóir agam ar an ealaín ó bhí mé ar an mbunscoil — agus mo chóipleabhair scoile á maisiú agam. D'fhág mé mo bhaile dúchais gan mhoill chun mo shaol a chaitheamh leis an bpaisean sin. Chuaigh mé i mbun staidéir i Scoil Émile Cohl i Lyon. Chomh luath is a bhain mé an chéim amach chuaigh mé i bun oibre, le teach foilsitheoireachta Flammarion ar dtús, ag dearadh clúdach dóibh. Tá ríméad orm a bheith ag obair leo arís ar Bhratach na gCnámh!'